Iggy & ik

Jenny Valentine

Illustraties
Sandra Klaassen

moon

Oorspronkelijke titel *Iggy & Me*

Omslagontwerp Mariska Cock
Opmaak binnenwerk ZetSpiegel, Best

ISBN 978 90 488 1016 1
NUR 281

www.moonuitgevers.nl

Moon is een imprint van Dutch Media Uitgevers bv

Inhoud

Iggy en ik

Ik heet Flo en ik heb een kleine zus. Toen mijn kleine zus nog kleiner was dan ze nu is, veranderde ze haar naam. Op een ochtend werd ze wakker en heette ze anders.

Dat was erg verwarrend.

We zaten op mijn bed en maakten sneeuwvlokken. Ze had me heel vroeg wakker gemaakt. Mijn zusje komt vaak 's ochtends vroeg naar mijn bed voordat ik wakker genoeg ben voor verhalen of om dingen te maken. Op de deken en de vloer lagen heel veel snippers papier. Zo had ze me wakker gekregen, door ze op mijn gezicht te laten dwarrelen. Mijn kleine zus had net geleerd om te knippen en ze vond het erg spannend.

Eigenlijk moesten we oude tijdschriften

gebruiken om sneeuwvlokken te maken, omdat we geen nieuw papier mochten pakken tenzij we daar een heel goede reden voor hadden: een verjaardagskaart of een sorrybriefje of een bedankbriefje. Sneeuwvlokken waren geen goede reden. Dat had ik al een paar keer tegen mijn zus gezegd maar ze gebruikte toch nieuw papier, omdat ze mooie, helderwitte sneeuwvlokken wilde hebben, zonder letters erop.

'Kijk eens naar de mijne,' zei ze, en ze hield sneeuwvlok nummer zevenentwintig omhoog.

'Heel mooi,' zei ik. 'Mag ik nu de schaar?'
'Ik ben ermee bezig,' zei ze.
'Nee, dat ben je niet.'
'Maar straks wel.'
'Sam,' zei ik, want zo heet mijn zusje, 'we moeten samendoen.'
'Ik heet geen Sam,' zei ze.
Ik zei niks, want ik dacht dat ze gewoon vervelend deed omdat ze de schaar niet wilde geven. Ik had niet door dat ze het meende. En ik moest heel lang op de schaar wachten.

Later zaten we met z'n allen in onze pyjama's in de keuken. Op dagen zonder school eten we 's ochtends altijd in onze pyjama's en soms tussen de middag ook nog. Papa en mama zien er 's ochtends in hun pyjama's heel grappig uit, een beetje verkreukeld en dikkig. Mama's haar stak alle kanten op en dat van papa zat aan de ene kant hoger dan aan de andere kant. En ze hadden geen sloffen aan, terwijl ze altijd tegen ons zeggen dat we sloffen aan moeten doen.

Mijn zusje had alle sneeuwvlokken op de koelkast geplakt, waardoor het net was of de koelkast een trouwjurk aanhad. Elke keer als je de deur opendeed, fladderden de sneeuwvlokken door de tocht omhoog, als een sleep van kant.

Ik zei: 'De koelkast gaat trouwen.'

Mijn zus zei: 'Met wie? Met papa?' en ze lachte heel hard om haar eigen grap. Ze vindt haar eigen grappen altijd erg leuk.

'Sam,' zei mama. 'Geroosterd brood of cornflakes?' Mijn zusje gaf geen antwoord.

'Sam,' zei mama. 'Hallo? Aarde voor Sam!'

Ze gaf nog steeds geen antwoord. Ze draaide haar gezicht de andere kant op en haar voorhoofd werd helemaal zacht, zoals altijd als ze doet alsof ze je niet hoort.

'Sam,' zei mama weer. 'Wat wil je eten?'

Niks. Geen kik.

'Sammie,' zei papa, terwijl hij zijn arm om de koelkast sloeg en er een kus op gaf. 'Mama zegt iets tegen je.'

'Nee hoor,' zei mijn zus, en ze wees naar hem en lachte. 'Meneer en mevrouw Koelkast.'

'Jawel,' zei papa. 'Je hoorde het wel. We hebben het allemaal gehoord.'

'Ze had het niet tegen mij,' zei mijn zus. 'Ze had het tegen Sam.'

Even zei niemand iets. Het was heel stil in de keuken. Ik hoorde het water in de ketel borrelen en mijn cornflakes tikkelden in hun kom. Ik keek naar mama en mama keek naar papa en we keken allemaal naar mijn zus. Ze zag eruit als Sam, in haar pyjama met de feeën erop, en ze speelde net als Sam met haar haar.

'We dachten dat jíj Sam was,' zei mama.

Mijn zus keek achter zich, over haar ene schouder en over haar andere, alsof mama het tegen iemand anders had. 'Wie, ik?' zei ze. 'Wie, IK?' Alsof we de domste mensen van de wereld waren.

'Ja,' zei mama.

'Ik ben Sam niet,' zei mijn zus, alsof dat een feit was. 'Er is hier helemaal niemand die zo heet.'

Papa keek onder de tafel en in het pak cornflakes en in de vuilnisbak. ‘Ergens moet hier een Sam zijn,’ zei hij. ‘Ze was hier net nog.’ Hij maakte er een spelletje van en keek onder zijn oksels, inspecteerde haar haren zoals de apen in de dierentuin en riep: ‘Sa-am, Sa-am!’

Mijn zus giechelde. ‘Ze is er niet,’ zei ze. ‘Sam is er niet.’

Mama zei dat er bij ons een klein meisje woonde dat Sam heette. Ze zei: ‘Ik zou het wel vervelend vinden als iemand Sam heeft meegenomen, want ik begon haar net aardig te vinden.’

Mijn zus haalde haar schouders op. Ze zei: 'Ik weet niet waar ze is.'

'Maar wie ben jíj dan?' vroeg papa.

En ik vroeg: 'Hoe heet jij?'

Ze keek naar ons en glimlachte, alsof ze dacht: eindelijk vraagt iemand het.

'Ik heet Iggy,' zei ze, en ze keek zo trots dat ik aan een pauw moest denken die zijn veren laat zien.

Mama lachte en mijn zusje zei dat ze dat niet mocht doen, dus nam mama een slok van haar thee, maar ik zag dat ze achter haar kopje nog steeds moest lachen. Papa zei dat de naam Iggy hem aan een biggetje deed denken of aan een knuffelvarken of aan een gebreid eierdopje met een biggetjessnuit.

'Of aan een meisje,' zei mijn zusje, en ze fronste haar wenkbrauwen. 'Want ik heet zo en ik ben er een.'

'Een wat? Een biggetje?'

'Nee joh, een meisje!'

'Dat lijkt niet op het meisje dat wij hebben gekocht,' zei mama. 'Dat kleine meisje dat wij hebben gekocht heette Sam, dat weet ik zeker.'

Mijn zusje schudde haar hoofd, wees naar

zichzelf en zei: 'Nou, dit meisje is Iggy, dat weet ík zeker.'

'Ik vind het leuk,' zei ik. 'Het past bij je.'

Mijn zusje zei: 'Goed zo.' En toen zei ze: 'Natuurlijk past het bij me want ik heet zo.' En toen vroeg ze: 'Maar jullie hebben me niet echt gekocht, toch?'

Mijn cornflakes knisperden toen ik de melk erbij deed.

'Mag ik ook cornflakes?' vroeg mijn zusje. Ik gaf haar een kom en een lepel en het pak cornflakes en de melk, en zij zei: 'Dank je wel, Flo.'

Ik keek achter me. Eerst over de ene schouder en toen over de andere. 'Flo? Er is hier helemaal geen Flo.' Het was maar een grapje.

Papa's en mama's mond gingen open, ze vonden het grappig, maar de mond van mijn zusje bleef dicht. Ze keek heel serieus. Ze vond het niet leuk.

Daarna wilden we haar niet meer boos maken want als mijn zusje boos is, dan kan ze heel vervelend zijn en dan moeten we precies doen wat zij zegt. Daarom speelden we het spelletje mee. Tijdens het ontbijt zeiden we: 'Mag ik de boter, Iggy,' en 'Drink je sinaasappelsap op, Iggy,' en 'Boven je bord eten, Iggy,' en 'Iggy! Gedraag je!' en 'O, Iggy.'

We hielden het de hele dag vol, omdat we dachten dat het haar vanzelf zou gaan vervelen als we haar de hele dag Iggy noemden, en dat ze dan weer gewoon Sam wilde heten. Dat dachten we.

Toen we ons aankleedden, noemde ik haar Iggy.

Toen ze me niet wilde helpen om de sneeuwvlokken op mijn bed op te ruimen, noemde ik haar Iggy, ook al was ik boos op haar en had ik makkelijk kunnen vergeten dat ze Iggy genoemd wilde worden.

Toen ze me vroeg om haar naam in dikke letters te schrijven zodat ze een bordje op haar kamerdeur kon hangen, schreef ik IGGY, omdat ik het anders over moest doen.

Papa en mama dachten er ook aan om haar Iggy te noemen. Ze zeiden: 'Iggy dit,' en 'Iggy dat.'

Ze zeiden: 'Iggy, eet je eten op, anders krijg je geen toetje.'

Ze zeiden: 'Niet vals spelen met zwartepieten, Iggy.'

Ze zeiden: 'Wanneer heb je voor het laatst je tanden gepoetst, Iggy?'

Ze zeiden: 'Iggy, niet op de bank springen, Flo probeert te lezen.'

Zelfs toen mijn zusje met een kartonnen doos vol spullen haar kamer uit kwam, zeiden we er niets van. In de doos zaten allemaal spullen waar SAM op stond. Sokken en pennen en een plastic beker en een sleutelhanger en stickertjes en een groene teddybeer en een tasje en een

mininummerbord, dat tante Kate uit Amerika had gestuurd, en een tekening die ik had gemaakt toen ze pas was geboren en waar ik haar naam op had geschreven, ook al kon ik toen nog niet eens zo goed schrijven.

Mijn zusje had die tekening altijd heel mooi gevonden.

'Dit is van Sam,' zei ze.

Papa vroeg: 'Waar zal ik het laten, Iggy?'

Mijn zusje haalde haar schouders op. 'Bij het vuilnis.'

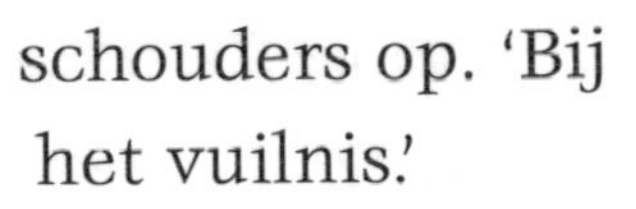

Mama zei: 'Denk je niet dat Sam terugkomt om het op te halen?'

Mijn zusje schudde haar hoofd. 'Nee hoor,' zei ze.

Ik zei: 'Die tekening vond je toch altijd heel mooi?'

'Ik vind hem ook heel mooi,' zei ze. 'Kun je er eentje voor me maken met "Iggy" erop?' En ik zei dat ik dat zou doen.

Toen ze niet oplette, zetten mijn vader en moeder de doos voor de zekerheid in de kast onder de trap. En ze zeiden: 'Slaap lekker, Iggy.'

En: 'Slaap zacht, Iggy.'

En: 'Welterusten, kop in het kussen, Iggy.'

En ik zei: 'Tot morgenochtend, Iggy. Dan gaan we weer sneeuwvlokken maken.'

We vergisten ons niet één keer. We dachten dat we het slim aanpakten. We stootten elkaar aan en knipoogden de hele dag naar elkaar.

Toen we de volgende ochtend opstonden, vroegen we: 'Is Sam al terug?'

Mijn zusje zei: 'Nee.'

En de dag erna zei ze: 'Nee.'

En de dag daarna zei ze: 'Wie is Sam?'

We kregen door wie het voor het zeggen had: Iggy. Want sinds de dag dat ze zei dat ze Iggy heette, heet ze Iggy. Het Iggy-spelletje werd echt en na een tijdje waren we er allemaal aan gewend.

Iggy's haar

Iggy en ik begonnen met precies hetzelfde haar. Volgens mama had ik als baby donshaar, heel zacht en een beetje doorschijnend.

'Kaal, bedoel je,' zei papa.

'Nee,' zei mama, 'het was heel mooi.'

Daarna groeide en groeide het en toen ik net zo oud was als Iggy nu, was het lang en blond. 'Niet waar,' zei papa. Maar het is wel waar. Ik heb de foto's gezien.

Toen Iggy werd geboren, had ze ook doorschijnend haar. En later groeide het ook, het werd lang en mooi en blond. Mijn haar is niet lang en mooi en blond meer. Mijn haar is korter en donkerder en veel nikseriger dan dat van Iggy. En als het te lang wordt prikkelt mijn pony in mijn ogen. Dus heb ik het een keer geknipt.

Dat was heel goed gelukt. Ik knipte het met de keukenschaar en ik deed de plukken in mijn prullenbak en legde de schaar op mijn nachtkastje.

Toen ik naar beneden ging, viel het papa niet eens op. Ik moest het tegen hem zeggen.

'Zie je niks aan me?' vroeg ik.

Papa zei: 'Je spreekt vloeiend Japans.'

'Nee.'

'Je bent in een teckel veranderd.'

'Nee, dat is het niet.'

'Je hebt je astronautendiploma gehaald.'

'Nee, papa. Ik heb mijn haar geknipt.'

Papa zat in zijn koffie te roeren, maar hield daarmee op. Iggy zat in haar neus te peuteren en hield daar ook mee op.

'Waar?' vroeg papa.

En Iggy zei: 'Op haar hoofd, dommerd.'

'Ik zie niks,' zei hij.

'Toch is het zo,' zei ik.

Op dat moment kwam mama naar beneden met een handvol haar. Ze had de plukken in mijn prullenbak gevonden. 'Heb je je haar geknipt?' vroeg ze boos. Ik wilde heel graag nee zeggen.

'Ja,' zei ik.

'Dat mag je nooit meer doen,' zei mama harder dan normaal. 'Dat is verboden.'

Iggy vroeg: 'Hoe wist je dat ze dat had gedaan, mama? Papa en ik zagen niks.'

'Ik wist het omdat ze het bewijsmateriaal in haar kamer had laten liggen,' zei mama, en ze liet de plukken haar uit mijn prullenbak zien. De haren waren droog en pluizig. Ze leken helemaal niet op mijn haren, het leken wel caviaharen.

'O,' zei Iggy. 'Bewijsmateriaal.'

'En toch,' zei papa, 'heb je het helemaal niet zo slecht gedaan.'

'Niet meer doen,' zei mama en ze keek naar hem en toen naar mij.

Dus daarna heb ik het nooit meer gedaan.

Maar Iggy wel.

Ze vond de schaar naast mijn bed. En omdat ze had geleerd hoe ze sneeuwvlokken moest knippen, dacht ze dat ze nu alles kon met een schaar.

Papa en mama zeiden dat het mijn schuld was en dat ik mijn haar niet mocht knippen, zelfs niet een heel klein stukje, en dat ik de schaar niet mocht laten rondslingeren.

Als je Iggy's grote zus bent, dan is altijd alles jouw schuld, ook ademhalen, want zelfs ademhalen kan Iggy op het idee brengen om iets stouts te doen.

Het was middag en we hadden gegeten en ik was in mijn kamer de tafel van vier aan het oefenen. Ik heb een hekel aan tafels oefenen en omdat ik er een hekel aan heb, moet ik ze vaker oefenen dan anderen, wat ik eigenlijk raar vind. Ik moet ze hardop opzeggen en terwijl ik ze opzeg moet ik een bal in de lucht gooien en weer opvangen. Ik vind het gek om dat in mijn eentje in mijn kamer te doen, maar het moet van papa en mama en daarna overhoren ze me en kijken ze of ik het goed doe met de bal, dus ik kan niet net doen alsof ik oefen.

Papa was buiten het gras aan het maaien en mama zat te werken in de kamer met het bordje op de deur: STILTE, JE MOEDER DENKT NA. Als de grasmaaier niet zo'n lawaai had gemaakt was het een van ons misschien eerder opgevallen hoe stil Iggy was. Want Iggy is nooit stil. Als ze thuis is en je hoort haar niet, dan weet je bijna zeker dat ze iets doet wat niet mag.

Dus toen papa klaar was en ik de grasmaaier niet meer hoorde, hoorde ik Iggy ook niet en toen wist ik dat er iets aan de hand was. Misschien hoorde mama haar op datzelfde moment ook niet want ze deed haar deur open en zei: 'Iggy? Waar ben je?'

En papa kwam van buiten en zei: 'Het is hier wel erg stil.'

Toen Iggy uit haar kamer kwam deed ze alsof er niets aan de hand was. Ze liep langs mijn kamer, stiller dan anders, en ik hield de bal in mijn handen en probeerde me te herinneren hoeveel 7 x 4 was voordat ik hem de lucht in gooide.

'Iggy,' zei ik. 'Wat doe je?'

'Ik loop,' zei ze.

'Nee, dat bedoel ik niet,' zei ik. 'Wat héb je gedaan?'

'Niks,' zei ze met haar liegstem, die je makkelijk herkent omdat hij heel anders klinkt dan haar gewone stem. Ze denkt dat mensen die de waarheid spreken zo klinken.

'Kom eens hier,' zei ik, en ze kwam en stak haar hoofd om het hoekje van de deur.

Haar hoofd, waar bijna geen haar meer op zat.

'Iggy!' zei ik. 'Wat heb je gedaan?'

'Ik heb mijn haar geknipt,' zei ze vrolijk.

Mijn hand ging langzaam naar mijn mond, als iemand in een soapserie die heel erg schrikt, en ik zei: 'Papa en mama vermoorden je!'

'Dat mogen ze niet,' zei Iggy.

'Je kunt haren niet meer terugplakken, hoor,' zei ik.

'Weet ik. Dat wil ik ook niet.'

Ik kon mijn ogen niet geloven. 'Ze worden echt ontzettend boos,' zei ik.

'Nee hoor, helemaal niet,' zei Iggy. 'Ze zien het niet eens.' En voordat ik iets kon zeggen of haar kon tegenhouden, lachte ze en ging naar beneden. Dus liep ik achter haar aan. Op de achterkant van haar hoofd zag ik allemaal verschillende vakjes, net als de lapjes op mijn broek die mama heeft gemaakt.

Toen Iggy mama's kamer in liep, telde ik tot twee en toen hoorde ik mama gillen alsof er een spin onder haar T-shirt was gekropen of alsof er een muis in de koelkast zat of zoiets.

'Wat is er gebeurd?' vroeg papa. Hij rende langs me en ging de kamer binnen waar mama en Iggy waren. Ik telde weer tot twee en toen hoorde ik papa. Hij gilde niet. Het was een soort geloei. Als een knappende ballon, maar dan in slow motion.

'Wat heb ik nou gezegd?' zei mama. 'Wat zei ik vanmorgen over haren knippen?'

'Ik heb mijn haar niet geknipt,' zei Iggy.

Papa en mama zeiden tegelijkertijd: 'Wát?' alsof ze haar niet goed hadden gehoord.

'Ik heb mijn haar niet geknipt,' zei ze. 'Jullie mogen wel in mijn kamer kijken als jullie willen.'

'We kijken wel naar je hoofd,' zei papa.

'Er zitten geen haren in mijn prullenbak,' zei Iggy.

'Er zitten ook geen haren op je hoofd,' zei papa.

'Er is geen bewijsmateriaal,' zei Iggy. 'Ga maar kijken.'

Mama zei niks. Ik keek door de kier van de deur en zag haar staan, met haar hand voor haar mond, net als ik had gedaan, en ze had tranen in haar ogen alsof ze uien had gesneden. Papa zei dat hij niet in haar kamer hoefde te kijken, omdat hij zo wel kon zien wat er was gebeurd.

'Je prachtige gouden haren,' zei mama.

'Bij Flo zag je niks,' zei Iggy.

'Dat was een beetje anders,' zei papa.

Iggy's stem begon te trillen. Haar woorden liepen in elkaar over en vormden één heel lang woord. Je kon horen dat ze elk moment kon gaan huilen.

'Je had de haren in Flo's prullenbak gevonden,' zei ze. 'Maar in mijn prullenbak zitten geen haren, dus je kan het niet zien. Er is geen bewijsmateriaal!'

Papa en mama glimlachten naar elkaar zonder dat Iggy het zag. Maar toen Iggy weer naar hen keek, keken ze weer boos.

'Laat maar zien waar je de haren hebt verstopt,' zei mama en ze liep achter Iggy aan naar boven.

Papa ging ook naar boven en op de gang knipoogde hij naar me. 'Kom op,' zei hij. 'Dit wil je niet missen.' En we liepen achter Iggy en mama aan.

Iggy's kamer heeft een witte houten vloer met een klein rood vloerkleed erop. We zagen nergens haren liggen. Ze zaten niet in haar prullenbak of in haar bed of onder het kussen.

'Waar zijn je haren gebleven?' vroeg ik.

'Er zijn geen haren,' fluisterde Iggy. Maar ik zag dat ze naar het rode vloerkleed keek en toen wist ik het.

We tilden samen het kleed op en daaronder lagen Iggy's goudblonde plukken. Door de tocht bewogen ze een beetje heen en weer en het waren net waterplanten op de bodem van de zee of het allerlaatste wat je kon zien van een prinses die onzichtbaar werd. De haren waren zo mooi dat Iggy het opeens heel erg vond, want ze barstte in tranen uit.

Papa zei: 'Daar is het een beetje laat voor.'

Mama zei: 'Als je ophoudt met huilen zal ik je wat laten zien.'

Ik telde zachtjes tot honderd en toen was Iggy bijna klaar. Haar schouders schokten nog een beetje, maar ze schreeuwde al minder hard.

'Kom maar mee,' zei mama.

We gingen naar beneden, naar mama's nadenkkamer, en mama trok een la open en zocht iets. Iggy snikte nog een beetje.

'Hier is-ie,' zei mama, en ze haalde een foto tevoorschijn en gaf hem aan Iggy.

'Laat eens kijken,' zei ik.

Er stond een klein meisje op dat ongeveer even oud was als Iggy.

'Dat ben ik,' zei mama, en Iggy giechelde.

'Wat zie je er grappig uit,' zei ik.

'Ja,' zei mama. 'Ik had net mijn haar geknipt.'

Iggy en ik keken nog eens goed naar mama toen ze klein was. Ze had bruin haar, net als ik. Het was steil en heel erg kort. Ze zag er gek uit. Maar het is altijd gek om je moeder te zien toen ze vijf was, ook als haar haar wel goed zit.

'Laat eens kijken,' zei papa.

'Zie ik er ook zo uit?' vroeg Iggy.

'Nee,' zei ik. 'Jouw haar zit beter.'

'Van voren in elk geval wel,' zei papa.

'Gelukkig,' zei Iggy, en mama lachte.

Iggy vroeg aan mama: 'Kreeg jij ook op je donder?'

'Een beetje,' zei mama. 'En toen kreeg ik een nieuw hoedje en een paar nieuwe haarspeldjes.'

'Mag ik ook nieuwe haarspeldjes?' zei Iggy.

'Misschien morgen,' zei mama. 'We zullen wel zien.'

'En hoe lang duurde het voordat het weer was aangegroeid?' vroeg Iggy, en ze maakte zich lang om met haar vingers in mama's haar te krioelen. Mama heeft lang haar en het glanst en ze heeft helemaal geen pony meer.

'O, een paar maanden,' zei mama.

'Máánden?' zei Iggy. 'Dat is heel erg lang.'

Mama ging met haar hand door Iggy's piekharen en keek naar zichzelf op de oude foto. 'Nee hoor,' zei ze. 'Dat is zo voorbij.'

Iggy's wereld

Iggy is heel erg goed in doen alsof. Dat is wat ze het liefst doet. Ze kan onze voorkamer veranderen in een grot met een ondergronds meer of in een bos met mos op de vloer of een kasteel waar je je stem hoort echoën, en het enige wat ze hoeft te doen is denken dat het zo is. Haar ogen worden heel groot en dan ziet ze geen bank meer of een vloerkleed of een tafel, zoals ik, maar andere dingen. En als ze andere dingen ziet en ze zegt dat tegen mij, dan is ze daar zo goed in dat ik die dingen ook zie.

Gisteren regende het heel hard dus konden we niet buiten spelen en ik ging naar de voorkamer en zag Iggy heel langzaam lopen zonder dat ze echt vooruitkwam. Ze had een zonnebril op en een kussensloop om haar hoofd.

‘Waarom heb je een kussensloop om je hoofd?’ vroeg ik.

‘Tegen de zon,’ zei ze, alsof het heel normaal was.

‘Welke zon?’ vroeg ik.

Iggy zette haar zonnebril af en fronste naar me. ‘De woestijnzon,’ zei ze. ‘Hij is bloedheet.’ Ze wees naar de grote lamp die in de hoek van de kamer stond. Ze had hem op zijn felste stand gezet en ik knipperde met mijn ogen zoals bij een echte zon.

‘Waar ga je naartoe?’ vroeg ik.

Iggy wees naar de gordijnen, waar groene

bomen op staan. 'Naar die oase,' zei ze. 'Kom op, we moeten zorgen dat we er voor zonsondergang zijn,' en ze knikte naar de lamp alsof die elk moment kon uitgaan, zomaar, zonder waarschuwing.

Ik had Iggy verteld wat een oase was. En ik had haar het woord 'bloedheet' geleerd. Ik had die woorden op school geleerd. We hadden een project gedaan over woestijnen.

'Zal ik met je meegaan?'

'Het is zo heet,' zei Iggy. Ze zette haar zonnebril weer op en liep met kleine pasjes over het kleed. 'Ik kan bijna niet meer. O, een kop thee met deze zinderende hitte zou heerlijk zijn.'

'Ik hoop dat het geen fata morgana is,' zei ik.

'Wat?'

'De oase,' zei ik.

Iggy vroeg: 'Wat is een fata morgana?'

Ik vertelde haar dat dat iets is wat je kunt zien, maar wat er niet echt is, en dat je dat soms tegenkomt in een woestijn. 'Je ziet iets wat er niet is,' zei ik, 'maar niet omdat je het verzint. Het komt door de hitte.'

'Dat lijkt me leuk,' zei Iggy.

Toen zei ik: 'Denk je dat we een koekje mogen als we er zijn?'

Iggy stampte met haar voet en fronste weer naar me omdat ik niet genoeg mijn best deed. 'In de woestijn heb je geen koekjes,' zei ze.

Misschien had ze gelijk.

'Sorry,' zei ik.

'Help me even om mijn kameel overeind te krijgen. Hij is gevallen,' zei ze.

Iggy's kameel was een zak bonen met een deken eroverheen. Ze trapte er een beetje tegen met haar voet en zei: 'Hij is ziek. Ik denk dat hij het heeft opgegeven. We moeten hem hier achterlaten.'

'Ik laat een kameel niet achter, zeker niet in de woestijn,' zei ik. (Ik heb een hekel aan zielige dieren, ook al zijn het verzonnen dieren.) 'Ik draag hem wel.'

'Je kan een kameel niet dragen!' zei Iggy.

'Wel als het een babykameel is,' zei ik, en ik tilde de zak op. Het was een grote zak bonen, maar hij was niet zwaar en ik kon hem makkelijk dragen. 'Laten we doen alsof de keuken de oase is, en als we daar zijn kunnen we een koekje vragen.'

Iggy haalde het kussensloop van haar hoofd en zei: 'Jij verpest het altijd.' Maar ze liep toch met me mee naar de keuken.

We mochten geen koekje van mama omdat het eten klaar was. We kregen groene soep. Groene soep is mama's manier om ons groente te laten eten. Toen we erachter waren waar de soep naar smaakte en we zeker wisten dat onze stukken brood even groot waren, zei Iggy: 'Ik weet wat, laten we doen alsof...' Dat zegt ze altijd als ze de trap gaat veranderen in een sneeuwlawine of de badkamer in het land achter de waterval.

'Ik weet wat. Laten we doen alsof...' zei ze, en de keuken werd een kerker, waar wij (de prinsessen) opgesloten zaten en de gemene koningin (mama) ons groene soep voerde.

'Gemaakt van giftige padden,' zei mama terwijl ze haar soep snel opat. Volgens mij vindt mama groene soep zelf heel lekker.

'Nee, jíj eet de giftige soep,' zei Iggy tegen mama. 'En dan kunnen wij ontsnappen.'

'Niet voordat je je bord leeg hebt,' zei mama.

We aten zo snel als we konden en toen verstopte Iggy zich opeens onder de tafel en zei: 'Pst! Pst! Verstop je! Zorg dat de gemene koningin je niet ziet, anders stopt ze je in de pan voor het avondmaal!'

Er was geen tijd meer om nog een slok water te nemen of wat dan ook.

Mama was helemaal niet zo gemeen en koninginachtig. Ze deed de afwas en luisterde naar de radio, wat vrij normaal was en helemaal niet wat boze koninginnen moesten doen als er twee prinsessen in de keuken verstopt zaten. Ik dacht dat Iggy zou gaan zeggen dat mama moest meespelen, maar in plaats daarvan zei ze: 'Kijk! Ze maakt een toverdrank in de gootsteen! Dit is onze kans!'

We vluchtten naar de keukendeur. Ik botste tegen Iggy op omdat ze de deur niet open kreeg. Mama draaide zich om omdat we zoveel lawaai maakten en Iggy schreeuwde: 'Niet in haar ogen kijken, anders verandert ze je in een steen!'

We kregen de deur open en we waren net op tijd boven aan de trap, voordat de gemene koningin ons te pakken kon krijgen. Toen lieten we ons op de grond vallen en hielden het niet meer van het lachen.

Iggy bleef giechelen tot ze omrolde en met haar hoofd tegen de verkleedkist stootte, die heel groot is. 'Au!' zei ze. Maar ze hoefde niet te huilen. Ze deed de deksel open en keek in de kist.

De kist ruikt lekker raar en is al heel oud, want hij is nog van mama toen ze klein was. Er zit een groot dalmatiërpak in en een berenpak en een piratenpak en zwaarden, want mama had een broertje en dat is nu onze oom Peter. Er zitten ook een heleboel prinsessenjurken in.

Iggy trok een lichtblauwe jurk aan die heel glad aanvoelt, zette een diadeem op met een echte glazen parel erin en trok een glitter-panty en mijn oude balletschoenen aan. Ik koos een rode jurk waarvan de rits kapot was, een kriebelsjaal van veren waar ik altijd van moet niezen, en een paar schoenen met hoge hakken. De schoenen waren te groot maar dat viel niet op doordat de jurk helemaal tot aan de grond kwam. Het was moeilijk om op hoge hakken te lopen, maar het was leuk om zo groot te zijn.

Zodra ik klaar was om prinsesje te spelen, had Iggy een nieuw idee. 'Ik weet wat. Laten we doen alsof we popsterren zijn. Dan gaan we optreden,' zei ze. 'Hoe heet jij?'

'Blanche,' zei ik, omdat dat de eerste naam was die in me opkwam.

Iggy keek me verbaasd aan.

'Dat is Frans,' zei ik.

'Wat betekent het?'

'Wit, geloof ik.'

Iggy keek me nog verbaasder aan. 'Wie wil er nou "wit" heten?'

Ik haalde mijn schouders op. 'Hoe heet jij?' vroeg ik.

Iggy had de jurk met de gladde stof uitgetrokken en droeg nu een zwart T-shirt met de glimmende panty en ze had de zonnebril van de woestijn opgezet. Ze trok gekke gezichten in de spiegel. 'Ik heet

Maddy,' zei ze met een lage stem. 'Opzij, mijn fans wachten op me.' En ze liep naar mijn kamer en zette mijn cd-speler op tien.

'Hij staat te hard,' zei ik, en ik stopte de kleren terug in de verkleedkist. Iggy hoorde me niet. Ze sprong op en neer op mijn bed en deed alsof ze gitaar speelde.

'Flo!' riep mama van onder aan de trap. 'Hij staat te hard!'

'Dat weet ik,' zei ik. 'Maar ik ben het niet, het is Iggy.'

'Ik probeer te werken.'

Ik zette hem zachter.

Iggy hield op met springen. Ze pakte mijn borstel en hield hem voor haar mond alsof het een microfoon was. 'Waarom doe je dat?' vroeg ze.

'Mama is aan het werk,' zei ik.

'Ik ook,' zei ze.

'Niet echt.'

Iggy zei: 'Denk je soms dat het makkelijk is om voor al die mensen te zingen?'

'Weet ik niet,' zei ik. 'Zullen we iets anders doen? Zullen we gaan tekenen? Je mag in mijn kamer blijven als je wilt tekenen.'

'Oké,' zei Iggy.

Dus gingen we tekenen. Iggy en ik zaten op de grond en we maakten tekeningen. Het was lekker rustig na al dat drukke doen alsof.

Ik maakte een tekening van papa en mama en Iggy en mij in het park met een paar eekhoorns en een picknickmand. Iggy had een vlieger vast en er was een regenboog. Het was een van de mooiste tekeningen die ik ooit had gemaakt.

'Vind je de mijne mooi?' zei Iggy, en ze hield haar tekening in de lucht zodat ik die kon bekijken. Het was een eiland met haaien in het water en palmbomen en vreemde vogels en slangen en bloemen.

'Hij is heel mooi,' zei ik.

'Dank je,' zei Iggy, en toen tekende ze een groot kruis in het midden van het eiland. 'Het is een schatkaart.'

'Wauw!'

'Laten we op zoek gaan,' zei ze. 'Laten we de schat gaan zoeken!'

Het regende nog steeds. 'Volgens mij kunnen we niet naar buiten.'

'Ik haat regen,' zei Iggy, en ze keek met een sombere blik door het raam. 'Straks vinden de piraten de schat eerder dan wij en

dan is er niks meer voor ons. Ik heb geen zin meer in regen.'

Ze bleef voor het raam staan en keek heel verdrietig. Plotseling had ik een idee. 'Misschien ligt de schat helemaal niet buiten,' zei ik.

'Hoezo? Waar is hij dan?'

'Blijf hier,' zei ik. 'En niet kijken.'

Ik ging naar beneden en smeekte mama om een paar koekjes in van die glimmende papiertjes die ze in een heel hoog kastje bewaart. Ik stopte ze in een sok van papa samen met een paar knikkers en het mooiste steentje van mijn stenenverzameling. Toen verstopte ik de sok in een doos waar mama onze haarborstels bewaart, onder een stapel handdoeken in de badkamer.

Toen ik terugkwam stond Iggy nog steeds voor het raam naar buiten te staren. 'Snel,' zei ik. 'We moeten gaan voordat het te laat is.'

'Hoezo?' zei Iggy met de kaart in haar hand. 'Waar gaan we naartoe?'

'Dit is een nepkaart,' zei ik. 'Ik hoorde de piraten met elkaar praten.'

'Echt?'

'Echt.'

'En wat zeiden ze dan?'

'Dat de schat helemaal niet op het eiland ligt, die kaart is om ons te misleiden. Op de kaart staat een geheime code en ik kan die lezen. De schat is in het fort van de piraten. Kom, dan breng ik je ernaartoe.'

'Hoe komen we daar?'

'We moeten met een roeiboot naar de overkant van een meer.'

'Een meer?' zei ze. 'Is het diep?'

'Ja, heel diep,' zei ik. 'En er zit een gat in de boot en er zwemmen krokodillen.'

'O, leuk,' zei Iggy en ze keek me lachend aan. 'Ik ben dol op krokodillen. Kom, dan gaan we.'

Ik ga op reis en ik neem mee...

We gingen een weekend weg naar vrienden. Ze zijn een gezin, net als wij, met een vader, een moeder en twee dochters. Vroeger woonden ze bij ons in de straat, maar volgens papa wonen ze nu in niemandsland en als we naar ze toe willen, moeten we heel lang rijden.

Ik vind het leuk om met de auto op reis te gaan. Het is fijn om met z'n allen in de auto te zitten. De auto is niet zo groot en we nemen altijd heel veel spullen mee, dus is het lekker gezellig.

Volgens papa is het niet gezellig, maar vol. Hij zegt dat mama voor dric dagen geen dertien jurken mee hoeft te nemen. Hij zegt dat wij niet per se al ons speelgoed mee hoeven te nemen. Hij zegt: 'Waarom moeten

jullie in de auto nou net zoveel dekens hebben als thuis?'

'Omdat het fijn is,' zeggen wij.

En hij zegt: 'Niet met dat poppenhuis dat tegen de achterkant van mijn stoel drukt, dat is helemaal niet fijn.'

Het duurde behoorlijk lang voordat we eindelijk konden vertrekken.

We zaten allemaal in de auto en mama had onze gordels gecontroleerd. Iggy en ik hadden onze kussens goed gelegd en de dekens lagen precies voor de helft over Iggy's benen en voor de helft over de mijne. Toen moesten we alle deuren opendoen en weer dicht omdat het lampje bleef knipperen, wat betekent dat een van de deuren niet goed dicht is. Meestal is het Iggy's deur. Nu was het die van mama.

Toen zei papa: 'Zijn we er klaar voor?' en Iggy zei: 'Ik moet plassen.'

Mama zei: 'O, Iggy, ik heb net nog gevraagd of je naar de wc moest.'

'Toen moest ik nog niet,' zei Iggy, 'maar nu sta ik op springen.'

Papa kreunde en mama hielp Iggy uit de auto, maakte de voordeur weer open, ging het huis binnen en bracht Iggy naar de wc.

Toen ze terugkwamen, zei mama: 'Weet je zeker dat jij niet hoeft, Flo?' En ook al was ik net geweest, het idee dat ik misschien toch moest werd groter en groter, dus stapte ik uit en ging ook.

'Vrouwen!' riep papa, en mama zei: 'Dat hebben we niet gehoord.'

Toen we allemaal weer in de auto zaten, reden we weg. Ik draaide me om en keek door de achterruit naar ons huis. Het is altijd grappig om te kijken waar je vandaan komt.

We reden niet zo ver, want bij het benzinestation moesten we stoppen om de banden op te pompen en kranten en dat soort dingen te kopen. Iggy wilde chips.

'Je hebt net ontbeten,' zei mama.

'Mag ik paprikachips?' vroeg Iggy.

'Chips is slecht voor je, Iggy,' zei papa. 'Er zit heel veel zout in en vet en je krijgt er pukkels van.'

'Helemaal niet,' zei Iggy, 'en ik heb honger.'

Mama graaide in een tas bij haar voeten en haalde een banaan tevoorschijn. 'Als je honger hebt, mag je deze hebben,' zei ze. 'Bananen zijn gezond.'

'Ik heb geen honger meer,' zei Iggy. 'Ik heb dorst. Mag ik wat drinken?'

'Geen drinken,' zei papa. 'Tot we er zijn. Ik heb geen zin om elke vijf minuten te stoppen omdat jij moet plassen.'

'Ik hou het wel op,' zei Iggy.

'Nee, dat doe je niet,' zei papa. 'Dat is nou juist het probleem.'

En toen gingen we pas echt op weg.

Ik keek naar de mensen buiten op straat die we voorbijreden en ik vroeg me af of zij ook iets leuks gingen doen, net als wij. Misschien gingen ze naar het strand of naar hun oma of misschien gingen ze eten met de hele familie en kwamen er allerlei neven en nichten die ze nog nooit had gezien. Of misschien gingen ze ook naar niemandsland, net als wij.

Onderweg deden we spelletjes. Eerst speelden we 'Ik zie, ik zie wat jij niet ziet'. Daar hielden we weer snel mee op omdat Iggy er niet zo goed in was. Ze zei: 'Ik zie, ik zie wat jij niet ziet en het begint met boom.'

Ik zei: 'Boom?' en toen zei ze: 'Jouw beurt.'

Ik zei: 'Ik zie ik zie wat jij niet ziet en het is geel.'

'De zon,' zei papa.

'Hoe weet je dat?' vroeg ik.

Mama lachte en zei: 'Omdat je altijd met de zon begint. Net zoals je altijd met "olifant" begint als we galgje spelen.'

En dat klopt. 'Olifant' is een lekker lang

woord en ik denk altijd dat niemand het raadt. Maar ze raden het altijd.

Toen kozen papa en mama allebei dingen die echt heel moeilijk waren, zoals de pupil van mama's oog (zwart) en het glas van papa's bril (doorzichtig) en toen hadden we geen zin meer.

Daarna speelden we 'Wat zit er in de tas?'. Dat spelletje vind ik heel erg leuk. Er is geen tas, maar je neemt gewoon een naam in gedachte van een bekend iemand of een stripfiguur of een soort fruit (als je Iggy heet) en dan moeten anderen het raden. Ze mogen vragen stellen maar je mag alleen met ja of nee antwoorden.

Iggy was er niet zo goed in. Als het haar beurt was om iets te bedenken en ik vroeg: 'Is het een jongen of een meisje?', dan zei ze: 'Een citroen is geen jongen of meisje, dommerd.'

Dus zei ik: 'Is het een citroen?' en zij zei: 'Nee.' Ze speelde vals.

Toen ze weer aan de beurt was, vroeg ik: 'Is het een dier?' (Ja.) 'Is het zwart met wit?' (Ja.) 'Is het een zebra?'

En toen was het opeens geen dier meer maar Bart Simpson en daarna een mandarijn. Ik werd boos en toen was het echt niet leuk meer.

Papa zei: 'Kunnen jullie misschien ophouden met schreeuwen? We zitten nog tweeënhalf uur in dit blik op wielen en we kunnen geen kant op.'

En mama zei: 'Ik schreeuwde niet.'

En papa zei: 'Ik zei ook niet dat jij schreeuwde.'

Maar dat deed ze wel. Een beetje.

Toen ik niet meer boos was op Iggy speelden we het alfabetspel. Je moet het hele alfabet afgaan en om de beurt een jongensnaam zeggen of een meisjesnaam. Papa noemde steeds heel gekke namen.

Ik zei: 'Arie.'

Iggy zei: 'Bas.'

Mama zei: 'Chris.'

Papa zei: 'Desmondo.'

Ik zei: 'Eddie.'

Iggy zei: 'Freddie.'

Mama zei: 'Gerard.' (Waar Iggy om de een

of andere reden ontzettend om moest lachen.)

Papa zei: 'Humperdink.' (Waar Iggy nog harder om moest lachen.)

'Papa!' zei ik.

Hij zei sorry, maar dat meende hij niet, want daarna zei hij Lego, Pinkeltje, Tomtom en Xylofoon, en dat waren alleen nog maar de jongensnamen.

En toen zei mama: 'Laten we "Ik ga op reis en ik neem mee..." spelen.'

'Hoe heet dat spelletje?' vroeg ik.

'Ik ga op reis en ik neem mee...'

'Wauw, dat klinkt ingewikkeld.'

'Het is heel leuk,' zei mama en ze legde uit hoe het gaat.

Ik denk dat het het spelletje is met de langste naam ter wereld en het is leuk. En toen we het speelden, ontdekten we iets heel bijzonders.

Mama begon en zei: 'Ik ga op reis en ik neem mee: een pyjama.'

En de volgende (ik) moest zeggen: 'Ik ga op reis en ik neem mee: een pyjama... en een boek.'

En de volgende (Iggy) moest de pyjama en het boek onthouden en er iets aan toevoegen. (Een zonnehoed.)

En degene die daarna kwam, papa, moest de pyjama en het boek en de zonnehoed onthouden en er iets aan toevoegen. En papa zei: 'Een wc-borstel.' Wat heel raar was.

Het spelletje ging verder en verder en de lijst werd steeds langer en we moesten heel erg ons best doen om alles te onthouden wat we op reis meenamen, en dan ook nog in de goede volgorde. Ik geloof dat ik wel acht of twaalf dingen kon onthouden en toen gingen alle woorden door elkaar heen en moest ik stoppen omdat mijn hoofd er pijn van deed.

Ik weet niet hoeveel woorden Iggy kon onthouden want ik raakte de tel kwijt. Ze zat naast me in haar autostoeltje en ze had veel meer deken dan ik.

Ze zei: 'Ik ga op reis en ik neem mee: een pyjama, een boek, een zonnehoed, een wc-borstel, sandalen, zonnebrandcrème, mijn teddybeer, een gordeldier, een reiswekker, mijn camera, een mobiele telefoon, een paar eieren, een kaart, een zonnebril, een pennendoos, twee haringen en... een bikini.'

'Dat zijn er zeventien,' zei mama tegen papa. 'Dat is ongelooflijk.' We zaten met onze monden open te luisteren, zó goed was Iggy in het spelletje.

Papa zei tegen Iggy: 'Je hebt een bijzonder goed geheugen.'

'Wat betekent dat?' vroeg Iggy.

'Dat weet ik niet meer,' zei papa.

'Het betekent dat je heel erg goed bent,' zei mama.

'En ik?' vroeg ik.

'Jouw geheugen is ook heel goed, warhoofd,' zei papa. (Ik wist dat hij een grapje maakte, omdat hij in zijn speciale spiegel naar me knipoogde.)

'Zullen we het nog een keer spelen?' vroeg Iggy.

Dus speelden we het nog een keer. Nog drie keer. En elke keer was Iggy's geheugen heel, heel goed.

We speelden het tot we in niemandsland waren. Opeens waren we er en het had helemaal niet lang geduurd, en onze vriendinnetjes kwamen over het pad naar ons toe gerend en ze wilden ons de schommel in de tuin laten zien en waar we zouden slapen.

'Hallo,' zeiden we allemaal tegen elkaar, alleen Iggy niet.

Iggy bleef in de auto zitten, wat een beetje raar was, want Iggy vindt schommels heel leuk en ze is dol op onze vriendinnetjes en ze was al weken zenuwachtig omdat we naar ze toe zouden gaan.

'Kom op, Iggy,' zei papa. 'Stap eens uit.'

'Wat is er aan de hand, Iggy?' vroeg mama.

'Kun je het alleen in de auto spelen?' zei Iggy.

'Wat?'

'Ik ga op reis en ik neem mee...'

Papa en mama lachten.

'Nee, Iggy,' zei ik, en ik stak mijn hand uit zodat ze die vast kon pakken en kon uitstappen. 'Je kan het in de tuin spelen en op de schommel en in huizen van andere mensen en overal ter wereld.'

'Mooi,' zei Iggy. 'Kom, dan leren we het de anderen.'

Iggy en de oppas

Papa en mama gingen uit en we hadden een oppas nodig.

'Wat is een oppas?' vroeg Iggy.

'Dat is iemand die stoute kindjes slaat,' zei papa, en mama zei dat hij zijn mond moest houden.

'Nee hoor,' zei mama. 'Dat is iemand die op je past als wij een avondje weggaan.'

'Weg waarnaartoe?' vroeg Iggy.

'Precies,' zei papa. 'Wanneer gaan wij nou weg?'

'Volgende week vrijdag,' zei mama. 'We gaan naar de schouwburg, weet je nog? We hebben de kaartjes al heel lang geleden besteld, en voordat de voorstelling begint, gaan we naar dat Franse restaurantje.'

'Wat krijg je daar te eten?' vroeg Iggy, alsof ze meewilde.

'Slakken,' zei papa, en hij likte zijn lippen af. Iggy had gelijk geen zin meer om mee te gaan.

'En opa en oma?' zei ik. 'Die kunnen toch heel goed op ons passen?' Opa en oma zijn mama's vader en moeder. Soms gaan we daar logeren en blijven we daar zonder papa en mama. Ze wonen heel ver weg en ze hebben twee katten en een blik speciaal voor chocolaatjes.

'Die zijn op vakantie,' zei mama.

'Dan vragen we Rwaida,' zei Iggy. Rwaida is Iggy's schooljuf.

Mama zei: 'Rwaida past de hele dag al op jou. Die wil niet 's avonds ook nog eens op je passen.'

'Misschien wel,' zei Iggy.

'Ze is een gediplomeerde leraar,' zei mama. 'Gediplomeerde leraren hebben geen oppasbaantje.'

Ik zei dat oma ook een gediplomeerde leraar was, want dat was ze vroeger, en opa weet hoe je met een echt vliegtuig moet vliegen, en toch wilden zij wél oppassen.

Mama zei: 'Dat is iets anders, wijsneus. Zij doen het gratis.'

'En tante Kate dan?' vroeg Iggy.

'Tante Kate woont in Amerika,' zei ik tegen haar.

'Nou?' zei Iggy. 'Dan kan ze toch wel voor een avondje bij ons komen?'

'Nee,' zei mama.

'Dat is niet eerlijk,' zei Iggy.

'Het leven is niet eerlijk,' zei mama, en Iggy zei: 'Waarom niet?' en mama gaf geen antwoord.

'Kunnen we niet ergens naartoe gaan en daar blijven slapen?' zei ik. 'We kunnen toch naar Sterres huis gaan?'

Sterre is mijn allerbeste vriendin en zij woont aan de overkant van mijn straat, op nummer 29. Ik heb er al zeker drieëndertig keer gespeeld.

Iggy's ogen werden groot en ze begon te glunderen. 'We kunnen een logeerpartijtje houden,' zei ze.

'Dat denk ik niet,' zei mama.

Iggy had nog nooit bij iemand gelogeerd. Dat kwam omdat ze nog heel klein was en ook omdat ze nog weleens in haar bed plaste, maar eigenlijk mag ik dat niet weten, omdat dat heel erg geheim is.

'En mevrouw Wijngaard dan?' vroeg ik.

Mevrouw Wijngaard woont naast ons. Ze draagt een paarse hoed en een panty die haar benen bruiner maakt, alsof ze op vakantie is geweest. Haar gezicht is heel erg wit onder die paarse hoed en haar benen zijn heel bruin. Ik weet niet wat voor kleur haar ze heeft, want dat heb ik nog nooit gezien. Ze zegt altijd 'dag meisjes' als we haar op straat tegenkomen en ze heeft me op een zaterdag een keer vijftig cent gegeven om snoep te kopen zonder dat ik daarom gevraagd had.

Daarom dacht ik dat mevrouw Wijngaard een goede oppas zou zijn.

'Ik denk niet dat mevrouw Wijngaard de trap op komt, laat staan dat ze urenlang achter jullie aan kan rennen.'

'Wij hoeven toch niet te rennen?' vroeg Iggy met een gezicht alsof ze niet wist dat ze altijd als een dolle muis door het huis rent of op de tafel danst of van de bank springt en er weer op, zelfs als iemand probeert te lezen. 'Hoezo, ik?' wilde haar gezicht zeggen.

'Ja, jij ja,' zei mama's gezicht.

Uiteindelijk vond mama een mevrouw die Joanna heette en ze was de dochter van een vriendin van mama's yogales. Mama praatte met haar aan de telefoon en een week voordat papa en mama weggingen, kwam ze langs om kennis met ons te maken. Ze had paars haar. En zwartgeverfde nagels. En een oorbel in haar wenkbrauw. Je zag dat ze daaronder eigenlijk heel mooi was.

'Moeten we met haar alleen blijven?' vroeg Iggy terwijl we in de deuropening stonden om haar te verwelkomen.

'Sst!' zei mama. 'En het antwoord is: ja, inderdaad.'

'Hallo,' zei Joanna, en ik zei: 'Hallo.' Maar Iggy verstopte zich achter mijn rug en wilde niet tevoorschijn komen.

'Ze is verlegen,' zei mama, en papa kuchte, want verlegen is wel het laatste wat Iggy is.

'Echt waar,' zei ik.

'Ik ben niet verlegen,' zei Iggy. 'Ik vind paarse haren gewoon niet leuk.'

‘Iggy!’ zei mama. ‘Dat is heel onbeleefd.’

‘Het geeft niet,’ zei Joanna, en toen Iggy stiekem keek, lachte ze naar haar. ‘Je hoeft paarse haren niet leuk te vinden, dat vind ik niet erg.’

Op de avond dat papa en mama uitgingen, kwam Joanna naar ons huis om op te passen. Ze had een grote tas met iets bij zich

en deze keer waren haar haren oranje. Iggy's mond viel open als een valluik en ze verstopte zich weer achter mijn rug. Mijn pyjama raakte helemaal gekreukeld omdat Iggy hem vasthield en eraan trok en ze drukte haar neus in mijn rug.

'Kom op, Iggy,' zei ik, en ik probeerde me van haar los te maken, maar dat lukte niet. Ik deed mijn best naar Joanna te lachen, maar dat was best moeilijk. Volgens mij leek het eerder of ik een gekke bek naar haar trok.

'Ik vind je haar leuk,' zei mama.

'Ik dacht dat Iggy oranje misschien mooier vond,' zei Joanna.

Ik voelde dat Iggy haar hoofd schudde. Ik lachte nog harder.

Mama had zich mooi aangekleed en zag er heel anders uit, en papa had een pak aan.

'Mijn vader en moeder gaan slakken eten,' zei ik. 'Heb jij weleens slakken gegeten?'

'Nee,' zei Joanna. 'Ik ben een veganist.'

'Wat is dat?' vroeg ik. Ik vroeg me af of het iets met de kleur van haar haren te maken had.

Mama zei dat dat betekende dat Joanna geen vlees at of vis of eieren of melk of wat dan ook dat van dieren kwam.

'Iggy is ook zoiets,' zei ik. 'Zij wil alleen maar rijstwafels eten.'

Toen we papa en mama gedag zeiden, moest ik Iggy kietelen omdat ze haar armen om mama's nek hield en niet los wilde laten. Mama had heel veel nummers achtergelaten in geval van nood. Ik vroeg me af aan wat voor noodgevallen ze dan wel niet dacht en daar maakte ik me een beetje zorgen om, maar er was geen tijd meer om het aan haar te vragen.

Toen ze weg waren, was het heel even stil. Iggy had mijn hand vast en wilde niet loslaten. Toen zei Joanna: 'Oké, wie heeft er zin om samen met mij een kunstwerk te maken?' en ze liep met haar grote tas naar de keuken alsof ze zeker wist dat we achter haar aan zouden komen.

Ik keek naar Iggy en Iggy keek naar mij. Ze trok zo'n gezichtje, met haar wenkbrauwen heel hoog en haar onderlip naar voren, en ze haalde haar schouders op.

'Wat voor een kunstwerk?' vroeg ik. Ik vond tekenen heel erg leuk, dus ik wilde eigenlijk al ja zeggen.

'Een heel grappig kunstwerk,' zei Joanna, en ze kwam de keuken uit met een grote rol behang in haar handen.

'Wat is dat?' vroeg ik.

'Behang voor op de muren,' zei ze. 'Daar gaan we op tekenen.'

Iggy zei: 'Wij mogen niet op de muren tekenen. Als we dat doen, krijgen we heel erg op ons kop.'

Joanna lachte. Ze zei: 'We doen het behang niet op de muren, we leggen het op de vloer.'

Iggy schudde haar hoofd. 'We mogen ook niet op de vloer tekenen.' Ze rolde met haar ogen alsof ze tegen mij wilde zeggen: weet die oppas dan ook helemaal níks?

'Maak je niet druk,' zei Joanna. 'We tekenen alleen op dingen waar we op mogen tekenen. Kom, ga hier maar liggen.'

'Liggen?' vroeg ik.

Iggy en ik keken elkaar weer aan. Iggy zei: 'Dat wil ik niet.'

'Kom op, Iggy,' zei ik. 'Dit is leuk.'

Iggy liep met heel kleine pasjes naar de keuken. Het duurde behoorlijk lang voordat we er waren.

'Wie wil er eerst?' vroeg Joanna, en Iggy gaf een duw in mijn rug, wat betekende dat ze wilde dat ik als eerste ging.

'Ik,' zei ik.

Joanna rolde de grote rol behang uit en legde aan elke kant een boek zodat het papier niet terugrolde. 'Oké, klaar,' zei ze. 'Ga maar liggen.'

'Echt?' zei ik.

'Ja, toe maar.'

Ik ging op het papier liggen en keek naar haar. De vloer was koud en hard. Als ik mijn hoofd opzij draaide zag ik een hele laag stof onder het gasfornuis. Iggy keek weer een beetje bang.

'Ben jij goed in kunstwerken maken?' vroeg ik aan Joanna.

'Best wel,' zei ze. 'Nu moet je stil blijven liggen.'

'Wat ga je doen?' zei ik.

'Ik ga helemaal niks doen,' zei ze. 'Iggy gaat het doen. Kom maar, Iggy.'

Iggy stond met haar duim in haar mond te treuzelen in de deuropening en Joanna hield een stift in de lucht. Het was een dikke rode stift, zo een die zo lekker ruikt, en zodra Iggy die zag haalde ze haar duim uit haar mond en kwamen haar voeten in beweging. Ik zag dat ze geen sloffen aanhad en mama zou daar iets van gezegd hebben, maar Joanna vond het niet erg.

'Trek maar een lijn om je zus heen,' zei ze.

‘Helemaal?’ vroeg Iggy.

‘Yep,’ zei Joanna. ‘Net zoals wanneer je je hand overtrekt op een blaadje.’

Iggy haalde de dop van de stift en ging heel dicht bij de grond zitten, zo dicht dat onze gezichten bijna tegen elkaar aan kwamen. ‘Stilliggen,’ zei ze, en ze begon te tekenen en kroop om me heen. De stift maakte een grappig geluid over de vloer en toen ze bij mijn hoofd was piepte de stift in mijn oren. Ze ging verder langs mijn vingers, mijn knieën en mijn voeten.

Toen ik opstond, lag ik daar nog steeds op de grond. Op sommige plekken was ik een beetje wiebelig maar ik was net zo groot als in het echt. Ik zag dat ik best groot was.

Joanna haalde allerlei spullen uit haar tas. Karton en papier en lijm en potloden en glitters en nog veel meer. ‘Nu moeten we haar aankleden,’ zei ze.

Dus gingen we knippen en plakken en toen had het meisje, dat niet meer op mij leek maar wel even groot was, een rok aan

en een T-shirt en een vest en gestreepte sokken en grote glitterschoenen.

Daarna trokken we Iggy over, en toen deden Iggy en ik samen Joanna, die bijna even groot was als Iggy en ik samen.

Toen het bedtijd was, hielpen we Joanna met opruimen en zij hielp ons met tandenpoetsen en onze gezichten wassen.

Iggy nam de tekening van Joanna mee naar haar kamer omdat het dan net was alsof ze de hele tijd een oppas had en ze zei dat ze dan heel goed zou slapen en niet één keer wakker zou worden.

'Goedenacht, slaap zacht,' zei Joanna.

'Welterusten,' zei ik.

'Welterusten,' zei Iggy. En toen zei ze: 'Joanna.'

En Joanna zei: 'Ja?'

'Ik vind paarse haren heel mooi. En oranje haar ook.'

Dokter Iggy

Op een dag werd Iggy wakker en besloot ze dat ze een dokter was. Niet voor mensen, maar voor knuffelbeesten.

Het was begonnen op de schoolverkoop. Daar had Iggy haar eerste zieke knuffel gekregen. Het was een heel klein olifantje dat in haar hand paste. Hij had een platgedrukte slurf en hij miste een poot. Hij zag er ontzettend zielig uit. Iggy vroeg of ik twintig cent had zodat ze hem kon kopen.

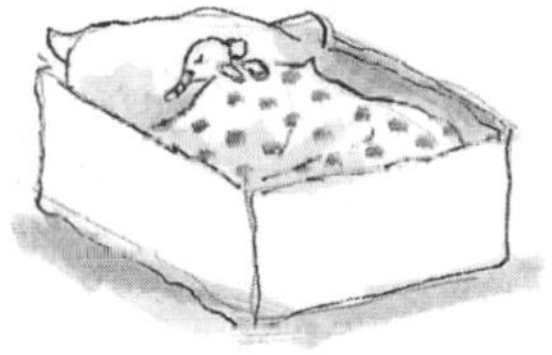

De hele weg terug hield ze hem voorzichtig in twee handen, alsof hij kapot kon gaan.

'Is het een jongen of een meisje?' vroeg ik.

'Weet ik niet,' zei Iggy zonder hem uit het oog te verliezen. 'Ik heb nog niet gekeken.'

'Pas op waar je loopt,' zei mama tegen haar. 'Je botst tegen iedereen op.'

Toen we thuiskwamen nam Iggy het zieke olifantje meteen mee naar boven. Ze trok een doktersjas aan, wat eigenlijk het jasje van mijn judopak is. Mijn judopak is zelfs voor mij een beetje te groot en het jasje kwam bij haar tot aan haar enkels. Ze zette de zwarte plastic bril op waar eerst de nepneus aan vastzat, maar die had ze er een keer af getrokken. Ze rende in het rond op zoek naar Post-it-plakkertjes en plakband en

in de badkamer vulde ze een kopje van haar theeservies met water.

Toen ze alles had gevonden wat ze nodig had, bestudeerde ze de olifant met een vergrootglas. Ze nam een wattenstaafje en prikte een paar keer. 'Waar doet het pijn?' vroeg ze, en: 'Goed zo, je bent heel flink,' en: 'Wat een dappere patiënt ben jij,' net als een echte dokter.

Ze stelde vast wat hem mankeerde: een gebroken been (dat was duidelijk) en een ernstige griep. Toen maakte ze hem beter met een nat watje en een verband van wc-papier. Ze maakte de slurf van de olifant een beetje nat en verbond hem en hetzelfde deed ze met de plek waar zijn poot hoorde te zitten. Toen maakte ze op de vloer een bed, van een schoenendoos en een kussen uit mijn poppenwiegje.

Sinds die tijd verzamelt Iggy knuffelbeesten waar iets mee is. Als ze een beer vindt met één oog of een hond zonder staart of een eekhoorn zonder vulling, dan moet ze die mee naar huis nemen. Als we dat niet doen, dan maakt ze zich de hele tijd zorgen. Ik denk dat Iggy echt om zieke knuffels geeft. En mama zegt dat af en toe vijftig cent de stilte en rust in huis dubbel en dwars waard is.

In Iggy's kamer staat een bed met een tafeltje ernaast en een hoge kast waar al haar kleren in zitten. Verder niet. Iggy's kamer is niet zo groot. En door al die zieke knuffels en het verband en zo, is Iggy's kamer propvol.

'Net een echt ziekenhuis,' zei papa.

Iggy legde haar patiënten in rechte rijen naast elkaar, zoals in een ziekenzaal. Van haar kleren, die eigenlijk in haar kast horen te liggen, maakt ze bedden. Soms heeft ze geen schoon T-shirt omdat ze ze allemaal nodig heeft voor haar gewonde knuffels. Soms kun je niet eens bij haar bed komen omdat de vloer vol ligt met slapende dieren. En als je ook maar op één ervan dreigt te stappen, heb je dagenlang last van een boze Iggy.

'De gezondheidszorg loopt de spuigaten uit,' zei papa, die op één voet door Iggy's

kamer huppelde om haar in bed te stoppen.

'Wat zeg je nou?' vroeg Iggy.

Terwijl papa op één been balanceerde, kneep ik mijn ogen dicht omdat ik bang was dat hij boven op een kangoeroe met een gescheurde buidel stapte.

'Dit ziekenhuis,' zei papa. 'Je hele kamer ligt vol.'

'Weet ik,' zei Iggy.

'Kun je ze niet een beetje dichter bij elkaar leggen?' vroeg ik.

Ik wilde alleen helpen, maar Iggy keek me kwaad aan. 'Dan worden ze platgedrukt,' zei ze.

Papa zei dat de meeste dieren toch al geplet waren.

'Dat is niet grappig, papa,' zei Iggy, en aan de frons in haar voorhoofd en aan haar wijsvinger kon je zien dat ze het meende. 'Sommige knuffels zijn heel erg niet gelukkig,' zei ze, 'en ze hebben niemand, behalve mij.'

Precies op het moment dat ze dat zei, klonk er een doffe klap. Er was een stapel truien uit de hoge kast gevallen. Papa keek naar Iggy en hij keek naar de truien (die op de een of andere manier net tussen een pop met één oog en een paar teddyberen zonder oren waren gevallen). 'Volgens mij staat het huis op instorten,' zei hij. 'Het staat scheef.'

'Waar hebben jullie het over?' vroeg mama, die de kamer binnen wilde komen en een plekje probeerde te vinden waar ze kon staan. Het was haar beurt om Iggy voor te lezen en mijn beurt om samen met papa te lezen.

'Het huis staat op instorten,' zei papa.

'Papa wil mijn ziekenhuis kleiner maken.'

Mama keek naar papa en hij stak zijn handen in de lucht, als een theepot zonder handvat met twee tuiten. 'Wat nou?' zei hij. 'Het is hier een chaos. Je kunt de vloer niet eens zien.'

Mama wees met haar vinger naar papa, net zoals Iggy altijd deed, en zei: 'Op de Eerste Hulp van een ziekenhuis is het altijd een chaos.'

'Klopt,' zei papa.

'En het huis stort niet in,' zei ze. 'Zeg tegen de meisjes dat het huis niet instort.'

Papa zei het: 'Het huis stort niet in,' en hij zei het met zo'n zelfde stem als Iggy wanneer ze stout is geweest en sorry moet zeggen. Daarna zei hij tegen mama: 'Maar waarom vallen de kleren dan uit de kast?'

'Dat weet ik niet,' zei mama. 'Misschien omdat die kast niet voor kleren bedoeld is. Of misschien omdat onze dokter hier niet zo goed is in opvouwen.'

Papa en ik gingen naar mijn kamer om een boek te lezen. Mijn kamer is groter dan die van Iggy. Ik heb niet zoveel speelgoed en mijn kleren liggen in een gewone kast met laden. Papa zegt dat het bijna onmogelijk is dat twee van die verschillende kamers bij hetzelfde huis horen.

Het was mijn beurt om de bladzijde te lezen. Dat doen we altijd als ik naar bed ga. We lezen om de beurt. Toen het papa's beurt was om te lezen kon ik niet goed luisteren, omdat ik een idee had. Het is heel moeilijk om naar iemand te luisteren als je zo'n soort idee hebt.

Papa zei: 'Luister je wel?'

'Sorry,' zei ik. 'Ik was aan het nadenken.'

'Waarover?'

'Over Iggy's kast.'

Papa zei dat het maar een grapje was geweest en dat het huis echt niet zou instorten.

'Weet ik wel,' zei ik. 'Daar dacht ik ook niet aan. Ik dacht aan haar kast en dat die kast echt een heel goed knuffeldierenziekenhuis zou zijn.'

Op zaterdagochtend zei mama dat ze met Iggy een ladekast ging kopen waar haar kleren niet uit vielen.

'Mag ik ook mee?' vroeg ik.

'Jij hebt het te druk,' zei papa, en hij gaf me een knipoog.

'Waarmee?' vroeg Iggy.

'Flo moet de vuilniszakken buiten zetten,' zei papa, en omdat Iggy dat het allerergste klusje van de wereld vindt, vroeg ze niet door.

'Wat gaan we echt doen?' vroeg ik aan papa toen ze weg waren.

'Ik ga echt de vuilniszakken buiten zetten,' zei papa. 'Maar jij gaat voor Iggy een knuffelziekenhuis maken.'

Eerst haalde ik al Iggy's kleren uit haar kast en legde ze zo goed mogelijk op stapels op haar bed. Daarna nam ik de maat van de planken op, wat nog best lastig was omdat de liniaal te kort was. Ik knipte papier uit, precies op maat, en tekende er met potlood heel veel bedden op. Ik kleurde alle spreien in en de kussens en de nachtkastjes en alle andere dingen.

Het was een van de beste tekeningen die ik ooit had gemaakt. Ik moest het vier keer doen, want er waren vier planken en aan het eind waren mijn vingers helemaal stijf. Sommige bedden waren groter dan andere, maar dat moest ook, want niet alle zieke knuffels waren even groot.

Toen legde ik de tekeningen op hun plek en ik pakte alle dieren en legde ze in hun bedden in de kast. Ik raapte de kleren op waar ze op hadden gelegen en maakte daar op het bed ook een soort stapel van.

'En, hoe gaat het hier?' zei papa, die binnen was gekomen. Ik was zo druk bezig geweest dat ik me een hoedje schrok.

Ik deed een stap naar achteren en keek eens goed. De kast zag eruit als een echt ziekenhuis. Eigenlijk wilde ik hem zelf wel hebben.

'Hij is prachtig,' zei papa. 'Goed gedaan, Flo.'

Ik wachtte gespannen tot Iggy thuis zou komen.

Papa had een trapje uit de keuken gehaald zodat ze ook bij de zaal op de bovenste verdieping kon. 'Kijk!' zei hij. Het klonk heel ernstig.

'Wat is er?' vroeg ik.

Hij stond midden in Iggy's kamer en keek naar beneden.

'Je kan de vloer zien,' zei hij. 'Wat een wonder!'

Toen Iggy en mama terugkwamen met een ladekast, stond ik beneden aan de trap op haar te wachten. Ik had haar doktersjas in mijn handen. Ik wilde dat ze hem aantrok voordat ze naar haar kamer ging.

'Is er iets gebeurd?' vroeg ze. 'Wie is er ziek geworden?'

'Niemand,' zei papa. 'Je hebt een donatie ontvangen.'

'Wat is dat?' vroeg Iggy.

We wachtten tot Iggy en mama boven waren voordat we antwoord gaven.

'Flo heeft een ziekenhuis voor je gebouwd,' zei papa en toen hij dat zei ging hij met zijn hand door mijn haar.

Iggy's ogen werden heel groot en haar mond viel open. 'Dat. Is. Het. Mooiste. Ziekenhuis. Ooit.'

'Het heeft meerdere verdiepingen,' zei ik.

'Kijk, die bedden!' zei ze. 'Ze zijn net echt.'

'Die heb ik gemaakt,' zei ik.

Iggy klom het trapje op en bekeek haar nieuwe ziekenhuis. Ze lachte en volgens mij vond ze het echt mooi.

Maar toen zei ze: 'O-o.'

En ik zei: 'Wat is er?' Ik vroeg me af of ik iets vergeten was, maar ik kon niets bedenken.

Iggy keek nog een keer naar alle zalen. 'Alle bedden zijn vol,' zei ze.

'Is dat een probleem?' vroeg papa.

Iggy keek naar mama en mama keek naar mij en papa. Toen stak Iggy haar hand uit en mama gaf haar een plastic tas.

'Nou,' zei Iggy, 'er was een tafel met knuffels.'

'O, nee!' zei papa.

Iggy hield de zak ondersteboven en er vielen drie knuffels uit: een zeepaardje met een witte vlek, een kat zonder neus en een slang waarvan de tong aan één draadje bungelde.

'O, nee!' zei papa nog een keer.

'Het geeft niet,' zei Iggy, en ze pakte drie T-shirts van de stapel op het bed. 'Ik kan gewoon weer op de vloer beginnen.'

Slaap lekker, Iggy

Op een avond was het eten nog niet klaar en omdat we helemaal niks meer te doen hadden, zei mama dat we een film mochten kijken. Ze stuurde ons naar de woonkamer om een film uit te zoeken. Soms is dat heel moeilijk, omdat Iggy en ik niet altijd dezelfde films leuk vinden. Soms duurt het uitzoeken van een dvd bijna net zo lang als de film zelf.

'Ik wil deze kijken,' zei Iggy. Er stond een foto van een cowboy op. Hij zag er stom uit.

'Dat is een achttienplusfilm,' zei ik. 'Daar mogen we niet naar kijken.'

'Waarom niet?' vroeg Iggy.

'Omdat we geen achttien zijn.'

'Papa is ook geen achttien,' zei ze. 'En hij kijkt er ook naar.'

'Hij is boven de achttien,' zei ik. 'Dan geldt het niet.'

'En deze?' vroeg Iggy. Ik weet niet waarom ze die pakte, want die was voor baby's.

'Nee, echt niet,' zei ik. 'Die heb je al honderd keer gezien. Die gaan we niet nog een keer kijken.'

We zochten verder. 'Deze is leuk,' zei ik. 'Hij gaat over zeemeerminnen. Hij is heel mooi.'

'Saai,' zei Iggy.

Ik begon de hoop te verliezen.

'Wat is dit?' vroeg Iggy.

Er stond een jongen voorop met zwarte kleren, grappige tanden en een kleine bril. Het zag er goed uit. Het was geen achttienplusfilm en we hadden hem nog niet gezien.

'Oké,' zei ik. 'Laten we het aan mama vragen.'

Mama was in de keuken en maakte een heleboel stoom. Volgens mij gingen we pasta eten. Mama maakt heel graag pasta. Ze maakt áltijd pasta.

'Ik denk niet dat jullie hem leuk vinden,'

zei mama terwijl ze door de stoomwolk naar de dvd keek.

'Waarom niet?' vroeg ik.

'Jij vindt hem misschien wel leuk, Flo,' zei ze, 'maar voor Iggy is hij niet echt geschikt.'

Iggy vond het niet leuk wat mama zei. 'Waarom niet?' vroeg ze.

'Je vindt hem misschien te eng,' zei mama.

'Ik ben niet bang,' zei Iggy.

'Ik weet het niet zeker, maar volgens mij is hij te spannend.'

Dus gingen we terug en zochten iets anders. Maar Iggy had besloten wat ze wilde. Elke keer als ik haar een dvd liet zien, deed ze haar ogen dicht en schudde haar hoofd.

'Nee,' zei ze. 'Ik wil die.' En ze wees naar de enge film met de jongen op de voorkant.

Na een tijdje kwam mama de kamer binnen en vroeg of het lukte.

'We kunnen niks vinden,' zei ik. 'We kunnen net zo goed stoppen.'

'Omdat we van jou die film niet mogen kijken die we willen kijken,' zei Iggy.

Mama zei: 'Ik wil niet dat je bang wordt.'

'Ah, alsjeblieft?' zei Iggy. 'Ik zal niet bang worden, dat beloof ik.'

Mama dacht even na.

Toen zei ze: 'Oké, zet hem dan maar op. Maar als je hem niet leuk vindt, moeten jullie hem afzetten.'

De film ging over een jongen in een kasteel. Toen hij midden in de nacht lag te slapen, kwam er een andere jongen door het raam naar binnen vliegen. De vliegende jongen was de jongen met de gekke tanden. Hij was een vampier. Hij was op zoek naar een vriendje.

'Ik vind deze film niet leuk,' zei Iggy.

'Ik wel,' zei ik.

'Ik vind hem écht niet leuk,' zei Iggy, en ze

meende het, dus zetten we de film af en gingen kaarten.

Toen we gingen eten was Iggy heel stil. Toen we in bad zaten, was ze heel stil en toen papa en mama welterusten hadden gezegd en naar beneden gingen, was ze heel stil. Normaal gesproken roept ze me gelijk als papa en mama weg zijn, of ze drukt op de deurbel die in haar kamer begint en in mijn kamer eindigt, of ze begint zo hard te zingen dat ik moet vragen of ze stil wil zijn.

Nu hoorde ik niets. Geen enkel Iggy-geluid.

Ik lag in mijn bed en dacht aan de jongen

die in het kasteel ook in zijn bed had gelegen. De ramen in zijn kamer kraakten en piepten en zijn gordijnen gingen heen en weer en de takken van de bomen tikten tegen het glas alsof ze binnen wilden komen. Mijn raam kraakte niet en mijn gordijnen hingen keurig netjes stil. Ik was blij dat ik niet in een kasteel woonde.

En toen maakte Iggy me wakker. Ze stond naast mijn bed en tikte tegen mijn arm.

'Wat is er?' vroeg ik.

'Ik kan niet slapen,' zei Iggy.

'Waarom niet?' zei ik.

'Ik ben de enige van de hele wereld die wakker is.'

'Nee, hoor,' zei ik. 'Ik ben ook wakker. Wat is er?'

Iggy zei niks.

'Wat is er aan de hand?' vroeg ik.

'Ik ben bang,' zei ze.

'Waarvoor?'

'Voor de jongen die je kamer binnen komt vliegen.' Iggy sloeg haar armen om zich heen alsof ze het heel koud had.

'Hij vliegt jouw kamer niet binnen,' zei ik.

'Hoe weet jij dat nou?'

'Omdat het maar een film is,' zei ik.

'Ik vond het niet leuk.'

'Maar het was niet echt,' zei ik. 'Het was gespeeld.'

Iggy keek me aan. 'En toch vond ik het niet leuk,' zei ze. 'En ik kan niet slapen.'

Ze stond naast mijn bed te wachten tot ik iets zou doen, maar ik wist niet wat dat 'iets' was.

'Ben je al bij papa en mama geweest?' vroeg ik. Iggy schudde haar hoofd. 'Waarom niet?'

Ze haalde haar schouders op. 'Weet ik niet.'

Ik zei: 'Misschien omdat je bang bent door die film?'

Iggy haalde weer haar schouders op. 'Weet ik niet,' zei ze.

Ik zei: 'Misschien omdat je anders van mama heel lang geen films mag kijken?'

Iggy fronste. 'Weet ik niet,' zei ze. Maar ze wist het best.

'Wil je bij mij in bed?' vroeg ik.

Ze knikte. Ik schoof een stukje opzij en hield mijn deken omhoog. Iggy's voeten waren heel koud.

'Niet tegen me aan komen,' zei ik.

'Waarom niet?'

'Je hebt ijskoude voeten.'

Iggy giechelde. Ze drukte haar voeten weer tegen me aan.

'Niet doen, Iggy,' zei ik. Ze giechelde al

weer. 'Als je het nog een keer doet, moet je terug naar je eigen bed,' zei ik.

'Sorry,' zei ze. 'Ik wil niet terug. Ik heb de hele tijd wakker gelegen.'

'Ik dacht dat je meteen in slaap was gevallen,' zei ik. 'Je was zo stil.'

'Ja,' zei ze, 'omdat de jongen me anders zou horen. Ik moest heel stil liggen en ik durfde niet eens met mijn ogen te knipperen.'

'En ben je toen in slaap gevallen?' vroeg ik.

'Ik geloof het niet,' zei ze. 'Ik heb de wacht gehouden.'

Ik controleerde of de dekens goed over ons heen lagen en deed mijn ogen dicht. 'Nu hou ik de wacht, oké?' zei ik.

'Oké.'

Ze was stil, maar dat duurde niet lang.

'Flo,' zei Iggy.

'Ja.'

'Bestaan er in het echt ook nog kastelen?'

'Volgens mij wel,' zei ik.

'O.'

Ik deed mijn ogen weer dicht.

'Wonen daar mensen in?'

'Ik denk het wel, in sommige.'

'Wie dan?'

'Rijke mensen en koningen en zo.'

'Zien die kastelen er hetzelfde uit als in de film?' vroeg Iggy.

'Dat weet ik niet,' zei ik. 'Hoe bedoel je eigenlijk?'

'Nou, dat het er spookt, met kaarsen en enge muziek,' zei ze.

Ik dacht aan het kasteel in de film. Er waren donkere gangen en sombere schilderijen en alles was stoffig. Er zaten vast vleermuizen. En ratten, en geesten.

Had ik de film ook maar niet gekeken, dacht ik. 'Ga slapen, Iggy,' zei ik.

'Maar wat als de jongen door het raam naar binnen vliegt?' vroeg ze. 'Wat moeten we dan doen?'

'Hij komt niet,' zei ik.

'Weet je het zeker?'

'Eh... ja,' zei ik.

'Oké,' zei ze, en ze draaide zich om en trok alle dekens naar zich toe.

Ik keek uit mijn raam en dacht aan de vliegende jongen. Het enige wat hij wilde was vrienden maken. Maar als iedereen bang voor je is, dan is het vast moeilijk om vrienden te maken.

'Ik ben benieuwd hoe het verdergaat,' zei Iggy.

'Wat?'

'De film,' zei ze. 'Ik wil weten hoe hij afloopt.'

'Ik ook.'

'Zullen we hem verder kijken?'

'Dat mag vast niet van mama,' zei ik.

'Jawel hoor.'

'En als het nou nog enger wordt?' zei ik. 'Wat doe je dan?'

'Dan ga ik naar jou toe,' zei ze, en ze giechelde en duwde haar niet meer zo heel koude voeten tegen me aan.

'Slaap lekker, Flo.'

'Welterusten, Iggy,' zei ik.

En al snel viel ze in slaap. Iggy snurkt. Ze snurkt als een nijlpaardje.

Dat weet ik, want ik hield de wacht.

Een nieuw huis

Papa en mama zeiden dat we gingen verhuizen.

'Waar gaat ons huis naartoe?' vroeg Iggy.

Ze moesten uitleggen dat ons huis niet ergens anders naartoe ging, maar dat het bleef staan waar het stond en dat we in een ander huis gingen wonen.

Iggy en ik wilden dat niet. We vonden ons huis heel leuk. Het had een tuin met echt gras en een blauwe voordeur en in onze slaapkamers stonden allemaal leuke spullen.

Mama zei: 'We moeten wel verhuizen. Dit huis wordt te klein voor ons.'

'Het is niet te klein,' zei ik. 'Het is gezellig.'

Papa lachte. 'Gezellig? Je kunt je kont niet keren.'

'Je hoeft je kont toch niet te keren?' zei

Iggy. 'Waarom moeten we nou verhuizen?'

'Het is jouw schuld, Iggy,' zei papa. 'Jij blijft maar groeien. We zeggen steeds dat je ermee moet ophouden, maar je luistert niet. Het wordt erg lastig als mensen steeds maar groter worden.'

Iggy keek naar papa alsof ze iets bedacht waar ze nog nooit bij had stilgestaan.

'Groei jij niet?' vroeg ze.

Papa schudde zijn hoofd. 'Ik niet,' zei hij. 'Je vader en moeder zijn al een hele tijd geleden gestopt met groeien.'

'Van wie mag jij dan nieuwe schoenen kopen?' vroeg ze. 'Wij mogen alleen nieuwe schoenen als we uit onze oude zijn gegroeid.'

'Ha!' zei papa. 'Slimmerd.' En hij tikte met zijn wijsvinger op zijn slaap. Toen zei hij: 'Als je uit huis gaat, krijg je een briefje van je vader en moeder mee waarin staat dat je nieuwe schoenen en boeken en fietsen en huizen en zo mag kopen, zolang je het maar niet te gek maakt.'

'Niet,' zei ik. 'Dat is niet waar.'

'Dat is wel waar,' zei hij. 'Zo gaat dat.'

'Ik geloof je niet,' zei ik.

'O, dus jij wilt geen briefje mee als je uit huis gaat.'

'Ik wel,' zei Iggy.

Ik vroeg aan mama: 'Gaan we echt een nieuw huis kopen?' en zij zei dat we dat echt gingen doen.

Iggy en ik keken naar elkaar en onze monden vielen open en we wisten niet wat we ervan moesten vinden.

'Het wordt heel leuk,' zei papa. 'Of zoiets. Wacht maar af.'

Ik wist niet zo goed wat dat 'of zoiets' betekende, en ik kon me niet voorstellen dat het leuk was om alles achter te laten en ergens naartoe te gaan waar je nog nooit was geweest. Dat zei ik. Papa en mama zeiden dat we ons geen zorgen hoefden te maken en dat alles in orde zou komen en dat als we ons iets afvroegen, we er dan gewoon naar moesten vragen.

Dus dat deden we.

We liepen de hele tijd achter hen aan en vroegen: 'Gaan we naar een andere school?', 'Is er nog tijd om onze vriendjes te vertellen dat we weggaan?', 'Kunnen we al onze spullen meenemen?', 'En hoe moeten we dat dan allemaal dragen?', 'Verdwalen we niet, als we niet eens weten waar het nieuwe huis is?', 'En wat moeten we doen als we iets vergeten omdat het ergens achter ligt, en als we daar dan pas aan denken als we in het nieuwe huis wonen?', 'En wie komt er eigenlijk in ons huis wonen?'

Papa zei dat we gingen verhuizen en niet emigreren. Ik wist niet wat dat betekende.

Mama zei dat we gewoon op dezelfde

school konden blijven en dezelfde vriendjes konden houden en dat we alles konden meenemen, als het maar niet te gek werd.

Wat dat laatste betekende wist ik ook niet.

Papa zei: 'Dat betekent dat we niet naar de andere kant van de wereld gaan verhuizen. Dat doen we niet.'

En mama zei: 'Dat betekent dat je geen snoeppapiertjes mee kan nemen en oude sokken en half opgegeten koekjes.'

'Wie wil dat nou?' vroeg Iggy.

Mama zei dat ze foto's had van het nieuwe huis, dat nu nog iemands oude huis was, met al zijn spullen erin. 'Dat wordt jouw kamer, Iggy,' zei ze, en ze wees naar een foto met een schommelstoel en heel lange, donkere gordijnen. Iggy huiverde en stak haar duim in haar mond.

'En dit wordt jouw kamer, Flo,' zei ze, en ze wees naar een andere foto met een bed en een enge kast en nog meer lange, donkere gordijnen.

'O,' zei ik, en Iggy zei: 'Die kamer lijkt veel groter dan die van mij.'

'Hij is ook groter,' zei mama.

'Huh?' zei Iggy, wat een snelle manier was om in één keer 'Hoe kan dat?' en 'Dat is niet eerlijk!' te zeggen.

Mama zei dat ik de oudste was en dat ik dus de grootste kamer kreeg. Einde discussie.

Iggy fronste naar me en zei dat zij de grote kamer zou krijgen als ze ouder was dan ik.

Papa zei: 'Als jij ouder bent dan Flo, dan mag dat.' En toen knipoogde hij naar mij omdat Iggy niet wist dat ze nooit ouder zou worden dan ik, maar wij wisten dat wel.

Daarna duurde het een eeuwigheid voordat we echt gingen verhuizen. Ik bleef maar hopen dat papa en mama het waren vergeten.

Een keer gingen we naar het nieuwe huis kijken. Het leek van niemand te zijn en het rook er een beetje vies en de lange gordijnen van de foto's zagen eruit alsof er inbrekers achter verstopt zaten. Maar de tuin was mooi. Papa zei dat we een glijbaan mochten en een zandbak en Iggy vond het niet erg meer om te verhuizen. Dus toen was ik de enige nog.

Een andere keer kwamen de twee mensen die in ons huis zouden gaan wonen langs. Ze heetten Charlie en Tom en ze hadden geen kinderen maar wel katten. Charlie zat overal aan en Tom wilde in alle kasten kijken. Ik had liever niet dat hij in mijn kast keek, want die had ik niet opgeruimd.

Het was een hele klus om onze spullen in te pakken want alles moest in dozen en we mochten helemaal niets achterlaten omdat we niet meer terug zouden komen. Mama gaf Iggy en mij ieder vier dozen en daar moest onze hele kamer in.

Eerst vouwde ik mijn kleren heel klein op en toen deed ik al mijn knuffelbeesten er nog bij dus de doos puilde een beetje uit. Ik moest erbovenop gaan zitten zodat ik hem kon dichtplakken met bruin plakband. Toen maakte ik een hele berg van spullen die misschien niet mee hoefden, zoals oude tekeningen en klonten plaklijm en een paar spelletjes waarvan dingen misten omdat Iggy nooit iets netjes teruglegt.

Het lukte Iggy niet zo goed om haar hele kamer in vier dozen te krijgen dus moest ik haar helpen. Ze zei dat ze haar knuffels niet in een doos wilde doen omdat ze dan niks konden zien. Ze zei: 'Hoe kan ik nou al mijn kleren hierin doen? Dan heb ik morgen niks om aan te trekken.'

Ze wilde ook helemaal niks weggooien, zelfs niet de verkreukelde oude blaadjes die ik onder haar bed vond en een lolly die al honderd jaar op haar verwarming lag en die helemaal plakkerig was geworden.

'Mam!' zei ik. 'Iggy wil haar spullen niet inpakken.'

'Doe jij het dan maar voor haar,' zei papa.

'Iggy, kom jij maar mee, dan gaan we naar het afvalplein.'

Iggy wist niet hoe snel ze weg moest komen. Ze vindt het geweldig om naar het afvalplein te gaan. Dan zit ze op papa's nek en stopt de flessen in de gaten en elke keer als er een fles kapotvalt, giert ze het uit.

'Mijn knuffelbeesten willen ramen hebben,' zei ze voordat ze de kamer uit liep. 'Je mag ze niet daarin stoppen. Ze vinden het niet leuk in het donker.'

Ik pakte haar kleren in en haar boeken en tekeningen. Ik vond mijn lievelingshaarspeld in haar sokkenla en onder haar kussen lag een schrift waarvan ik dacht dat ik het kwijt was. Ik pakte alles in en legde haar knuffels op het bed en toen ging ik op zoek naar mama.

Ze was bezig om alle borden en kopjes en glazen in kranten te wikkelen. De keuken was helemaal binnenstebuiten gekeerd omdat alle kastjes leeg waren en alles overal stond.

Mama blies steeds haar haren uit haar

gezicht. Haar vingers waren helemaal zwart van de kranten. 'Dit is een hele klus,' zei ze.

Ik hielp haar een beetje. Het was best leuk. Alsof je heel veel cadeautjes inpakte. We pakten alles in, behalve vier borden, vier bekers, vier messen en vier vorken.

'Nog één maaltijd in dit huis,' zei mama, en dat maakte me een beetje verdrietig.

Toen zei ze: 'We moeten maar iets kant-en-klaars halen.' Dat maakte me weer een beetje vrolijk, want we halen bijna nooit zoiets.

Ze gaf me een soort doorzichtige koffer waar ik Iggy's knuffels in kon doen. Ik deed ze er allemaal in, liet hem toen de trap af rollen en bracht hem naar de keuken om hem aan mama te laten zien.

'Ze wil vast dat ik er gaten in maak omdat ze anders niet kunnen ademen,' zei ik.

Toen papa en Iggy terugkwamen, zat de hele keuken in dozen en was mama begonnen met de woonkamer. Ik probeerde televisie te kijken en een koekje te eten, maar ze liep de hele tijd in de weg.

'Ga maar buiten spelen,' zei ze. 'Of ga tekenen of zoiets.'

'Ik heb mijn potloden al ingepakt,' zei ik.

'Verzin dan maar iets anders,' zei ze. 'Ga de spinnenwebben maar gedag zeggen.'

'Spinnenwebben?' zei papa. 'Nemen we die niet mee dan?' En mama stak haar tong naar hem uit.

Ik ging naar boven en liep maar een beetje rond, want als alle kamers in je huis leeg zijn, dan is er niet zoveel te doen. Het was vreemd om de plekken op de muren te zien waar onze foto's hadden gehangen. En de streepjes in de slaapkamer waar papa en mama Iggy en mij altijd hadden opgemeten. We woonden al in dat huis toen we nog heel klein waren. Zo klein dat je het bijna niet kon geloven.

Ik hoorde Iggy beneden aan één stuk door praten. Ik liep nog een keertje door de kamers en toen ging ik de trap af. Mama lag op de bank. Ze zei: 'Ik kan niets meer zien zonder te bedenken dat ik het moet inpakken.'

Papa zei: 'Ik zal een kopje thee voor je maken.'

'Dat kan niet,' zei mama. 'Ik heb de ketel al ingepakt.'

Ik ging op mama's schoot zitten en we staarden naar de plek waar de televisie had gestaan. 'Morgen rond deze tijd ben je je spullen aan het uitpakken in je nieuwe kamer.'

Ik dacht aan de donkere gordijnen en het vreemde bed en de lelijke kast en ik deed heel erg mijn best om te glimlachen.

'Het wordt echt leuk,' zei mama. 'Geloof me maar.'

We aten Indiaas. Iggy en ik hadden rijst en groenten en papadums en we namen een hapje van papa's eten, maar de tranen schoten in mijn ogen en toen ik in bed lag, brandde mijn mond nog steeds. Mijn kamer was heel leeg. Eigenlijk was het mijn kamer al niet meer.

's Ochtends kwamen er vier Australische mannen met een grote vrachtwagen, waar ze alle dozen in zetten. Het was de grootste vrachtwagen die ik ooit had gezien en we hadden heel veel spullen, maar in de vrachtwagen leek het heel weinig.

Papa zei dat Iggy en ik in de weg liepen, dus ging mama met ons naar het speeltuintje vlak bij ons huis, dat na vandaag niet meer vlak bij ons huis zou zijn.

'Is daar een nieuwe?' vroeg ik.

'Een nieuwe wat?' zei mama.

'Een nieuwe speeltuin bij ons nieuwe huis.'

'Ja,' zei mama. 'Maar deze is ook niet ver weg.'

Na een hele tijd ging mama's telefoon en

het was papa. We gingen naar huis om afscheid te nemen van ons huis. We zouden nooit meer terugkomen. De vrachtwagen met onze spullen was al weg.

Ons huis leek niet meer op ons huis. Het kon van iedereen zijn. Maar het was nu van Charlie en Tom. Mama legde een briefje neer en liet een pak melk in de keuken staan. Op het briefje stond: *We hopen dat jullie van dit huis zullen genieten. Net zoveel als wij hebben gedaan.*

We stapten in de auto en reden naar het nieuwe huis. We waren er heel snel. Toen we aankwamen stond de vrachtwagen al voor de deur en de mannen droegen onze spullen naar binnen.

Ik ging naar de kamer die van mij zou zijn. De gordijnen waren weg. Er stond geen enge grote kast meer en ook geen bed of een schommelstoel. En de muren waren lichtblauw geschilderd: mijn lievelingskleur.

Terwijl ik daar stond te kijken, kwam Iggy binnengerend. 'Flo!' zei ze. 'Ik heb je bed gezien! Hij komt nu naar boven!'

We drukten ons tegen de muur zodat we niet in de weg stonden en de mannen zetten mijn bed op de grond.

'Waar wil je het hebben?' vroeg een van hen. Iggy gaf me een duwtje omdat ik antwoord moest geven.

Ik dacht even na en toen zei ik: 'Daar, alstublieft,' en ik wees naar het raam.

Iggy's kamer was geel geschilderd en dat is haar lievelingskleur. Ik ging met haar mee om te kijken want ze wilde niet alleen gaan. Plotseling was het alsof we in het zonlicht stonden of binnen in een ei zaten. De kamer was groter dan haar oude kamer.

Papa en mama kwamen naar boven met onze dozen vol spullen. 'Als jullie alles hebben uitgepakt,' zeiden ze, 'dan voelt het alsof je thuis bent.'

We kregen een verrassing en dat waren bordjes voor op onze deuren. Op het ene bordje stond: KOM BINNEN, en op het andere stond: NIET STOREN.

'Ik vind verhuizen leuk,' zei Iggy terwijl ze haar koffer met knuffels openmaakte.

Ik dacht aan de dozen in mijn nieuwe kamer met al mijn oude spullen. Ik dacht aan mijn bed bij het nieuwe raam en dat ik daarop kon zitten en dat ik dan naar buiten kon kijken.

'Ik ook,' zei ik.